Cendrillon Squeletton

Robert D. San Souci

ILLUSTRATIONS DE
David Catrow

TEXTE FRANÇAIS D'HÉLÈNE PILOTTO

Éditions
SCHOLASTIC

Catalogage avant publication de Bibliothèque
et Archives Canada

San Souci, Robert D.
Cendrillon squeletton / Robert D. San Souci;
illustrations de David Catrow;
texte français d'Hélène Pilotto.

Traduction de : Cinderella skeleton.
Pour enfants de 4 à 8 ans.

ISBN 978-0-545-99810-9

I. Catrow, David II. Pilotto, Hélène III. Titre.

PZ23.S26Ce 2007 j813'.54 C2007-900163-7

Édition publiée par les Éditions Scholastic,
604, rue King Ouest, Toronto (Ontario) M5V 1E1, avec la permission de Harcourt.

5 4 3 2 1 Imprimé au Canada 07 08 09 10 11

Les illustrations ont été réalisées au crayon et à l'aquarelle.
Pour le texte, on a utilisé la police de caractères Opti Packard Roman.
Conception graphique : Judythe Sieck.

À Paula Wiseman, ma merveilleuse éditrice.
Merci d'être une si bonne amie,
tant pour Cendrillon que pour l'auteur.
—R. S. S.

À Kirby
—D. C.

Cendrillon Squeletton
habite au cimetière Amadoss, près du bois.
Vous la trouverez au caveau numéro trois.
Délabré, sinistre et décrépit,
l'endroit fait la fierté de la région.
Sur la porte, une couronne flétrie
invite les gens à se reposer... pour de bon.

Cendrillon Squeletton
a tout ce dont un spectre peut rêver.
Un corps mince et élancé.
Des cheveux ternes et clairsemés.
Des ongles jaunes et des dents vertes.
Ah oui, vraiment, elle est parfaite!
Elle est la laideur incarnée.

Les demi-sœurs de Cendrillon Squeletton
la traitent avec beaucoup de mépris.
Josseline est petite, mais son cœur est géant.
Dommage qu'il n'y ait que de la haine dedans.
La grande Osséane est une enquiquineuse,
tout aussi vilaine et encore plus vaniteuse.
Leur plaisir est de faire travailler Cendrillon
jour et nuit.

Pauvre Cendrillon Squeletton
qui ne peut même pas s'arrêter pour souffler!
Elle doit suspendre des toiles d'araignées,
faire des bouquets de fleurs fanées,
épandre des saletés dans toute la maison
et nourrir les chauves-souris sous le balcon.
Elle ne peut jamais s'amuser!

Les demi-sœurs de Cendrillon Squeletton
ont des tenues magnifiques.
Cendrillon n'a que des horreurs,
de vieux haillons légués par ses sœurs.
Ses souliers sont percés dessus et dessous.
En fait, ils ont tellement de trous
qu'on voit sortir par le bout ses orteils squelettiques.

Un jour que Cendrillon Squeletton
demandait qu'on l'aide un peu dans ses corvées,
sa belle-mère s'est aussitôt écriée :
« Compte-toi chanceuse de vivre sous mon toit!
Mes filles sont des joyaux! Tandis que toi...
Comment peux-tu seulement t'imaginer
qu'elles t'aideront à salir murs et planchers? »

Le bal
de minuit
R. S. V. P.

Cendrillon Squeletton
n'est pas au bout de ses peines.
Pour l'Halloween, tout le royaume est invité
au bal épouvantable du prince Décharné.
Cendrillon aimerait bien y aller, elle aussi.
Mais sa belle-mère lui ordonne d'une voix hautaine :
« Tu as trop de travail, tu dois rester ici! »

Alors Cendrillon Squeletton
regarde partir dans un long corbillard noir,
sa belle-mère, tristement vêtue de gris,
et ses demi-sœurs, en robes vert moisi.
Cendrillon jure sur l'honneur :
« J'irai au bal moi aussi,
pour le pire ou le meilleur! »

Cendrillon Squeletton
s'élance aussitôt
vers le petit bois derrière
où vit une vieille fée un peu sorcière.
Émue par la demande de Cendrillon,
elle accepte de l'aider sans hésitation.
« Apporte-moi vite tout ce qu'il me faut! »

Cendrillon Squeletton
déniche tout très rapidement.
Elle trouve une citrouille aux yeux de feu,
six rats retenus par la queue,
deux chauves-souris bien endormies
et un chat aussi noir que la nuit.
Il ne manque aucun ingrédient!

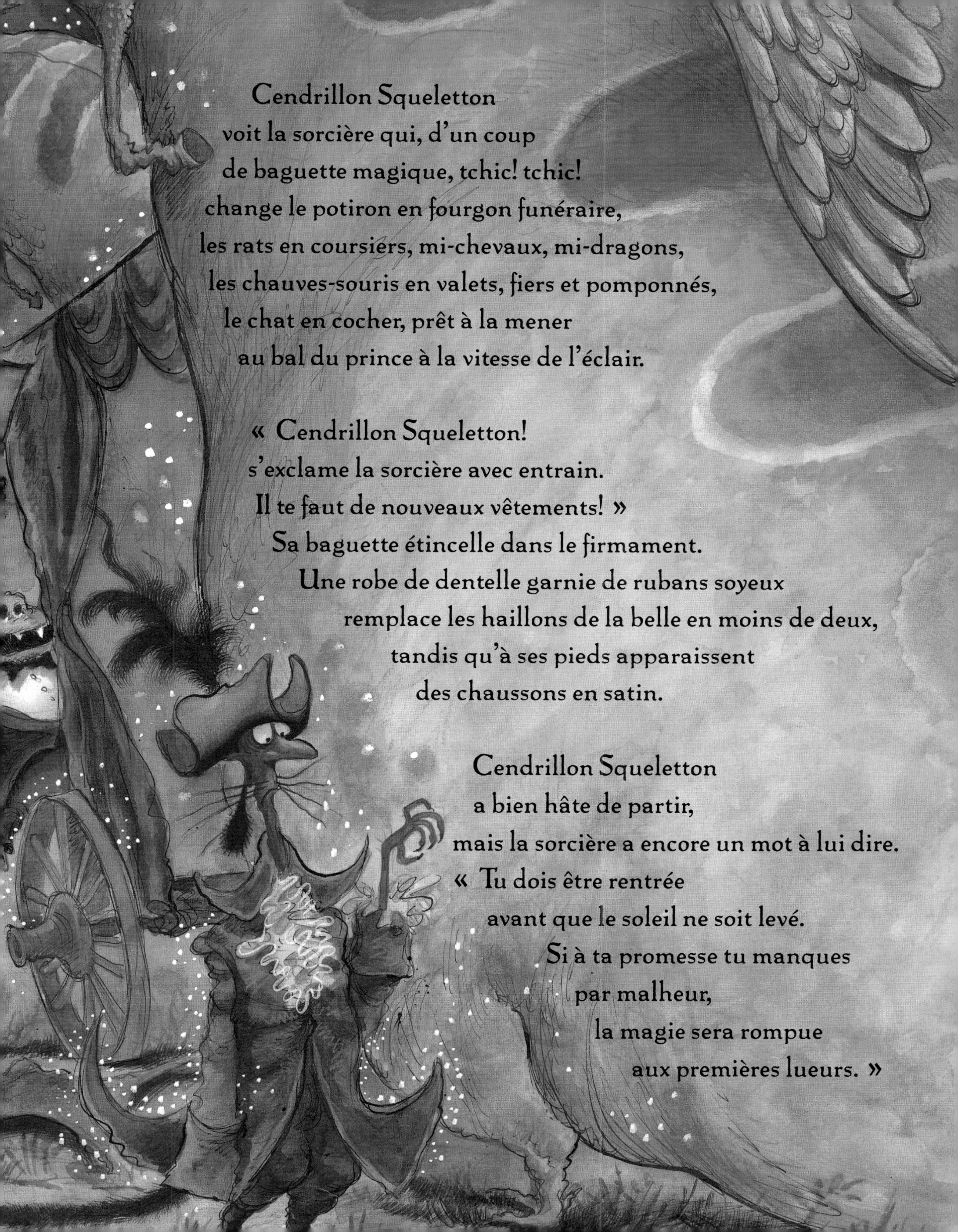

Cendrillon Squeletton
voit la sorcière qui, d'un coup
de baguette magique, tchic! tchic!
change le potiron en fourgon funéraire,
les rats en coursiers, mi-chevaux, mi-dragons,
les chauves-souris en valets, fiers et pomponnés,
le chat en cocher, prêt à la mener
au bal du prince à la vitesse de l'éclair.

« Cendrillon Squeletton!
s'exclame la sorcière avec entrain.
Il te faut de nouveaux vêtements! »
Sa baguette étincelle dans le firmament.
Une robe de dentelle garnie de rubans soyeux
remplace les haillons de la belle en moins de deux,
tandis qu'à ses pieds apparaissent
des chaussons en satin.

Cendrillon Squeletton
a bien hâte de partir,
mais la sorcière a encore un mot à lui dire.
« Tu dois être rentrée
avant que le soleil ne soit levé.
Si à ta promesse tu manques
par malheur,
la magie sera rompue
aux premières lueurs. »

Cendrillon Squeletton
cause tout un émoi en arrivant au bal.
Les invités tournent la tête pour dévisager
celle qui vient d'apparaître en haut de l'escalier.
Partout, on murmure : « Mais qui donc est-elle? »
C'est alors que le prince Décharné s'avance vers elle
et lui fait une révérence royale.

Cendrillon Squeletton
l'entend alors dire, très sérieux :
« La vue de votre visage me ravit.
Il a l'éclat d'un feu d'artifice la nuit!
Je vous en prie, accordez-moi cette danse. »
Cendrillon sourit et lentement s'avance.
Et les voici qui valsent, tous les deux,
en mouvements souples et gracieux.

Cendrillon Squeletton
est séduite, elle aussi.
Elle n'entend pas les vilains murmures
et ne voit pas les regards durs
que lui jettent Osséane, Josseline et leur mère
qui, devant cette scène, bouillent de colère.
Les yeux plongés dans ceux de son bien-aimé,
Cendrillon danse toute la nuit.

Cendrillon Squeletton
trop tard se souvient de sa promesse.
Elle s'arrache soudain à l'étreinte royale
et se rue hors de la salle de bal.
Le prince crie : « Vous êtes celle que j'attendais! »
mais Cendrillon dévale les marches du palais.
La nuit a passé à une telle vitesse!

Cendrillon Squeletton
court de plus belle,
poursuivie par le prince en nage
qui lui parle déjà de mariage.
Elle trébuche et essaie de ne pas tomber;
le prince en profite pour lui saisir le pied.
« Vous êtes à moi, gente damoiselle! »
Crac! Cendrillon laisse un pied derrière elle.

Cendrillon Squeletton,
ignorant le bruit de sa jambe estropiée,
s'engouffre dans son beau fourgon :
« Vite! À la maison! »
Ils passent à toute allure la grille du palais
au désespoir du prince qui leur court après.
« Attendez! » parvient-il à crier,
un sanglot dans la gorge et dans
la main... un pied.

Trop tard, Cendrillon Squeletton!
C'est déjà le petit matin.
En un éclair, le fourgon redevient potiron.
Chat, rats et chauves-souris filent comme des poltrons.
Cendrillon clopine sur le chemin du retour
en songeant que, si son rêve a pris fin,
son cœur, lui, est encore plein d'amour.

Cendrillon Squeletton
est bien triste à présent!
Sa famille la fait travailler sans répit
pour la punir d'avoir désobéi.
Cendrillon n'échappe à ses corvées domestiques
qu'en s'évadant dans des rêves romantiques
où elle valse avec son prince charmant.

Cendrillon Squeletton!
Son image hante le prince nuit et jour!
Elle accapare son cœur et son esprit.
Il ne pense qu'à elle, il en est tout étourdi.
Assailli par un tourbillon de souvenirs,
il décide de passer à l'action sans mollir :
« Je pars chercher mon bel amour! »

« Cendrillon Squeletton,
je vous retrouverai! » promet le prince
en fouillant les alentours,
le pied de sa belle dans un écrin de velours.
Mais personne, ni fermière, ni duchesse,
ni laideron, ni beauté,
n'a l'os qui convient à ce fichu pied.
(Chacune a cassé le sien pour l'essayer.)

Mais Cendrillon Squeletton
ne peut même pas tenter sa chance!
Sa belle-mère l'enferme, clic! clac!
et casse un pied à ses filles, cric! crac!
en leur disant : « Ça peut se recoller!
Il faut bien endurer un peu de stress
pour devenir une vraie princesse.
Venez! Le prince va perdre patience! »

Cendrillon Squeletton
crochète le cadenas et sort prestement.
Malgré les plaintes et gémissements
de ses vilaines demi-sœurs,
elle entend la voix du prince, remplie de douceur.
La cheville d'Osséane est trop grosse, évidemment.
Celle de Josseline est aussi mince qu'un cure-dent.
Cendrillon s'avance alors, clopin-clopant.

Cendrillon Squeletton...
Tous la regardent avec des yeux ronds.
Elle s'adresse au prince avec une révérence
et lui dit : « Laissez-moi tenter ma chance. »
Clic! Son tibia s'emboîte parfaitement!
« Enfin! » s'exclame le prince en souriant.
« Voulez-vous m'épouser, Cendrillon Squeletton? »

« Cendrillon Squeletton!
Ma pierre précieuse, mon bel amour,
avec votre crâne luisant et vos os satinés,
vos cheveux ternes et clairsemés,
vos dents polies comme de petites pierres,
vous êtes unique dans l'univers!
Avec vous, ce sera l'Halloween chaque jour! »

Cendrillon Squeletton
s'empresse d'épouser son bien-aimé.
Ensemble, ils vivent heureux.
Leur royaume résonne d'amour et de rires joyeux.
Quant à Josseline, Osséane et leur mère,
ratatinées de jalousie, elles ont disparu en poussière,
et on ne les a plus revues de toute l'éternité! Bien mérité!